守護我的4騎士

雙魚座的魔笛 ②

作者
陳四月

繪畫

魂魂
SOUL

目錄 CONTENTS

潘娜恩 16歲

外表冰冷、沈默寡言。自小受到「詛咒」：被她雙手觸摸過的人都會遭遇不幸、惡運纏身。為免害人，她長期戴著黑色手套隔絕與他人接觸。

凌東 16歲

木無表情、口不對心的貼身保鏢。出生在戰亂地區的孤兒，從小接受訓練及培養成為僱傭兵，精通多國語言及槍械，對命令絕對服從。

蒙面男爵 26歲

穿梭於世界各地犯案的怪盜，身份神秘，只要被他當成目標，無論藏到任何地方，無論保安再嚴密，他也能偷取到手。

林維婭 16歲

游泳健將，但性格十分內向，是娜恩的同班同學和學生會的書記。擁有令人印象深刻的綠色瞳孔和小麥色的健康膚色。

況佑南 16歲

性格開朗率直，出生於武術世家；是個運動神經發達，極具正義感的陽光男孩。只要下定決心，便會奮力向前，不輕易放棄。

任北辰 26歲

擁有專業醫生資格，擅長烹飪和打理家頭細務，細心且樂於照顧別人，是個可靠的大哥哥。

西門學 12歲

害羞而且認生的電腦奇才，擁有製作機械人的技術和知識。喜歡獨處，不擅長與人交際，是個性格內向的小男孩。

露娜 12歲

蒙面男爵所收養的孖生姊妹中的姐姐。冷若冰霜、沈默寡言，酷愛甜食，智力和體能遠超同齡的人。

露比 12歲

露娜的孖生妹妹，活潑開朗，十分愛說話。擁有和姐姐相同的智力和體能，二人被安排和西門學同一班級，跟他有著密切關係。

上回提要

長處於孤獨、受詛咒纏身的千金小姐潘娜恩，在父母雙亡後得到四騎士的保護。他們為了解開陰謀和謎團，開始尋找十二聖物，目前已找到水瓶座的魔法筆。

今期聖物

雙魚座的魔笛

吹奏出來的聲音能使人出現幻覺，會喚醒聆聽者最害怕的記憶，令人喪失理智。

CHAPTER I

校慶舞會

　　深夜的海岸之上，三艘快艇正乘夜高速航行。

快艇上的乘客全副武裝，他們都不是尋常的觀光

旅客，而是鬼鬼祟祟的賞金獵人。

「全體人員戒備，我們已很接近目的地了。」
賞金獵人的首領發號施令，愈接近小島，他們愈
小心謹慎。

因為這個小島流傳著不可思議的都市傳說：
相傳如果心術不正的人接近這小島，就會被人魚
的歌聲迷惑，變得瘋瘋癲癲喪失理智，甚至失去
性命；人們認為人魚守護著小島，故把它命名
為「人魚島」。

獵人陸續登上小島，他們步伐整齊一致，而
且全部都攜帶著槍械，正潛入森林之中準備狩獵。

笛子的聲音在寧靜的月夜特別清澈，像是鳥
兒的鳴叫，合奏出大自然的交響樂。

「隊長！妖……妖怪呀！」但才步入森林不
久，已有獵人慌張逃跑。

「什麼？」隊長還未來得及反應，只看見眼前出現不知名的龐然巨物。

就算再精良的裝備、再專業的獵人，來到神秘的人魚島也無法全身而退，因為其中一件「十二聖物」的力量保護著人魚島，讓這裡的大自然景色得以永久保存，不會被貪婪的人類破壞。

奧林匹克私立中學洋溢著快樂歡騰的氣氛，學生們裝扮成不同的童話角色，加上充滿童話特色的場地佈置，令嚴肅的校園彌漫歡笑聲。

「東翼巡視完畢，沒有發現可疑人物。」凌東穿著一身鐵皮裝甲在高處監察四週。

「西翼沒有任何異樣。」打扮成獅子的況佑南

同樣在履行保安工作。

「主大樓這邊也安全，辰哥，我們應該可以放心了吧？」戴著草帽的西門學扮演著稻草人，三人扮演的角色來自《綠野仙蹤》。

「不要掉以輕心，對小姐圖謀不軌的人隨時會出現。」任北辰是學校的保健老師，一如既往穿著大白褂。

「來訪學校的都是達官貴人，我相信壞人暫時不敢輕舉妄動，大家可以放鬆一點，好好享受校慶活動吧！」潘娜恩紮起雙馬尾，穿著藍白色連身裙的她，扮演《綠野仙蹤》中的女主角——桃樂絲。

打扮成《綠野仙蹤》的角色是娜恩的主意，她對這童話故事十分有共鳴。尋找回家之路的女孩、

希望獲得勇氣的獅子、追求心靈的鐵皮人和渴望智慧的稻草人，他們結伴同行，互相扶持。

在娜恩收集十二聖物的旅程中，四騎士的守護是必須的；但娜恩不希望只接受他們的奉獻，她希望在結伴的日子裡，他們同樣有所得益。

「為什麼這樣看著我？」娜恩問看著她入神的凌東。

「沒……沒什麼。」凌東一臉害羞別過臉說。

「一定是因為今天小姐的穿搭十分可愛吧！」佑南敲打了凌東的鐵皮頭盔一下，發出噹噹巨響。

「嗯，比起陰沈的黑色，白色的確更適合小姐。」凌東不好意思的說。

「謝謝……」黑色是娜恩用來保護自己和保護他人的顏色，她是受詛咒的少女，是會帶來不幸

的人。

「既然大家也盛裝打扮了，要不要到禮堂參加舞會？」佑南希望熱鬧的氣氛能令娜恩臉上增添笑容。

「會跳舞的獅子，看起來一定十分滑稽呢。」凌東一找到機會，就會對佑南出言嘲諷。

「鐵皮人一定不會跳舞吧？不用勉強自己啊。」佑南也不會放過反擊的機會。

「笑話，要比試一下嗎？」凌東和佑南的爭吵，已成家常便飯。

「放馬過來！」佑南立即向禮堂出發。

「小姐，是不是所有男生長大後，也會變得這麼幼稚？」西門學望見眼前兩位常常鬥個你死我活的大哥哥，不禁擔心自己的將來。

「應該不是的⋯⋯」娜恩露出尷尬的微笑，這時的她，還沒有意識到以往長處於孤獨的自己，已習慣了新的生活而有所改變。

「小姐，你們還在發呆？快點跟上來啦！」佑南笑容燦爛的說。

十二聖物中的水瓶座魔法筆已在娜恩手中，在其餘十一件下落不明的聖物成功回收前，娜恩將會繼續維持現有跟四騎士一起的生活。

學校天台上，任北辰正在以手機檢視電郵。電郵顯示著一宗和人魚島有關的新聞，三艘快艇在海中心被發現，艇上的乘客身上雖然沒有傷痕，但卻神智不清。

「你好，星婆婆。」北辰的手機鈴聲響起，來電的是情報販子星婆婆。

「你還在打聽十二聖物的下落吧？調查一下和人魚島相關的事，我相信你會有所收穫的。」星婆婆說。

「謝謝。」北辰掛斷電話，收集聖物的下一站，將會是個神秘和危險的地方。

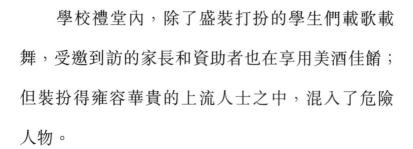

學校禮堂內，除了盛裝打扮的學生們載歌載舞，受邀到訪的家長和資助者也在享用美酒佳餚；但裝扮得雍容華貴的上流人士之中，混入了危險人物。

「華特先生，感謝你對學校的捐助，為學校興建新的美術大樓。」校長笑容可掬，因為他得到一筆數目驚人的捐款。

「不用客氣，我只是略盡綿力罷了；還望校長多加照顧我家兩位任性的女兒。」自稱華特的男人，真正的身份，是早前襲擊學園的蒙面男爵。

「華特先生言重了，兩位千金天資聰敏，本校能錄取這麼優秀的學生，實在十分榮幸。」校長雖然滿口阿諛奉承，但蒙面男爵安排入學的這對孿生姊妹，確實異於常人。

冷漠孤僻的露娜和好勝衝動的露比，跟西門學一樣，同樣以卓越的成績跳級入學，並在同一班級上課。

「露娜，露比，你們要好好表現呀。」而蒙面男爵之所以安排她們入學，是為了監視娜恩和四騎士。

同樣是收集十二聖物的競爭對手，蒙面男爵

所知道的比娜恩多，就連水瓶座的魔法筆本來亦是他的持有物。但現在娜恩不只得到了魔法筆，還得到了能打開古宅地下室的鑰匙，那裡或者會收藏著重要的線索。

CHAPTER 2

合照

　　校慶結束後，娜恩和四騎士回到了古老大宅，這裡現在不只是他們的住所，更是奪回聖物的作戰基地。自從地下室的鐵門被打開後，這個考古學團隊曾經使用的房間，成為了娜恩的秘密會議室。

「想不到我們⋯⋯原來真的來過這大宅。」佑南看著地下室掛著的一張大合照說。

「或許是你們當時的年紀太小，所以記不起來吧。」相片中出現了幼小時期的況佑南、凌東和西門學，唯獨任北辰不在其中。

照片上除了娜恩的父母外，還有很多她不認得的人，他們都是考古團隊的重要成員，包括凌東的養父和佑南的父親。

「這時候的阿學還是個嬰兒，照片拍攝的時間恐怕已距今近十年了。」凌東數算著，他正是在六歲時開始被養父收養。

「還有一個人不在這照片中，在我夢境中向我伸手的男生，他到底是誰？」娜恩對夢境十分在意，她總覺得自己忘記了一個重要的人。

「現在最重要是集齊下落不明的十一件聖物，還有找出老爺和夫人的真正死因。」北辰相信娜恩的父母並非意外身亡，而是被人殺害。

「很可惜這地下室裡雖然有很多資料文件，卻沒有找尋聖物的直接線索。」凌東邊翻看著資料邊說。

「大家不用失望，我已收到一則關於聖物的情報，但可信度還有待確認。」北辰微笑著說。

「時候不早了，明天一早我還要去一個地方，大家早點休息吧。」前路未明，娜恩知道現在最重要的，是保持良好狀態。

「我可以⋯⋯再逗留在這裡多一會嗎？」阿學凝望著照片中他的父母說。

「不可以，小孩子要早點上床睡覺！佑南，捉

住他！」北辰說。

「收到！」佑南行動迅速，抬起阿學直奔出地下室。

子女對家長的事情總是一知半解，娜恩已沒辦法親耳傾聽父母訴說他們的故事，西門學也一樣，他的父母早已離開人世；但對西門學來說，和父母有關的故事，卻不是什麼美好回憶。

翌日早上，娜恩在四騎士的守護下昂首闊步進入星辰集團大樓，所有看見她的員工都讓出位置，就連保安人員也不敢接近，因為娜恩沒有穿戴黑色絲質手套，被詛咒的少女散發出不祥的氣息。

「會……會長！潘小姐……她……」突然出現

的千金令人措手不及，會長的秘書也不敢阻攔。

「讓她進來吧，娜恩又不是外人，她可是我的姪女啊！」娜恩的伯父——潘日臣，代任了星辰集團會長之位，但他同時也是僱用蒙面男爵對付娜恩的幕後黑手。

「伯父。」娜恩知道伯父並非善男信女，她脫掉手套的舉動是對伯父的威嚇。

普通人均害怕被厄運纏繞，更何況是集團的領導人。

「你來找我應該不會是為了敍舊閒聊吧？」潘日臣和娜恩的父親在生時已關係惡劣。

「我就不轉彎抹角了，我知道伯父也在找尋十二聖物，為此更派人向我施以襲擊。」娜恩不畏強權，和伯父正面對峙。

「證據呢？」潘日臣行事小心，不會留下直接證據。

「伯父，如果我有實質證據，你已經被關進牢房了。但我知道以你擁有的財力和人脈，根本不害怕受法律懲罰。」娜恩嚴肅地說。

「所以呢？」潘日臣不把年紀輕輕的娜恩放在眼內。

「所以我才除下手套。」娜恩的雙手就似散發著黑暗的氣息，令人緊張窒息。

「如果你再派人接近我，傷及我身邊的人，我不知道我的雙手，會為你帶來怎樣的厄運。」娜恩洞悉了一個事實，那就是：

過去她把不幸視為惡夢和詛咒，現在娜恩知道這是她的力量和武器。只要活用這種能力，就

算面對蒙面男爵這種專業罪犯，她也不用害怕。

「娜恩啊……你長大了呢。」面對威脅，潘日臣反而微笑以對。

「昔日總是害怕接觸別人，連正視我眼睛也不敢的小丫頭，已變得這麼勇敢、這麼有氣勢。」畢竟是血脈相連的親人，潘日臣其實只想要娜恩那能帶來不幸的力量，而不是傷害她的性命。

「因為我不是孤身作戰，我的身後有著可以信賴的人。」娜恩身後的四騎士，給予她莫大的勇氣。

「但若然你知道十二聖物藏著的真相，還有你父親做過的事，你還能這麼堅強，這麼無畏無懼嗎？」潘日臣問。

關於娜恩的父親、關於十二件聖物、關於家

CHAPTER 2

業的事，潘日臣知道的比娜恩多。

「你到底想說什麼？」娜恩一臉疑惑。

「你沒有思考過，為何你會被不幸的力量選中嗎？」就連娜恩的父親所隱瞞的秘密，他也一清二楚。

「你知道當中的原因？」娜恩一直以為這是與生俱來的能力，就像殘疾人士先天的缺陷。

「既然你堅決踏上尋找聖物的道路，真相就由你自己挖掘出來吧。」潘日臣無意多作解釋。

「我還有最後一個問題。」娜恩說。

「你知道誰是殺害我父母的真兇嗎？」娜恩相信伯父並非真兇，但對於誰是想加害她父母的人，她卻一頭霧水。

「不知道。我只能告訴你，不要輕易相信別

人，無論他們和你有多親近。」潘日臣的眼睛凝望著娜恩身後的四騎士。

知人口面不知心，良善的表面可能是為了騙取信任，殘酷的背後也可能是為了掩飾內心的軟弱，對於約定守護自己的四名男子，娜恩還是認識得不夠深。

CHAPTER 3

體能訓練

　　雪白的房間內，小男孩拿著黑色蠟筆在地上飛快的寫著數字，成年人也解答不到的數理難題，在他的眼中只是簡單的拼圖。

　　「爸爸……」小男孩抬起頭，望向房間角落上的監控鏡頭，他知道父母正在隔壁的房間觀察著他。

「三號實驗體的表現如何？」男博士問。

「他的表現是三人之中最好的。」女博士十分滿意，小男生以最快的速度解答了最困難的方程式。

兩位博士走進雪白的房間，並把一個機械人玩具放到小男生面前。

「這是獎勵你的，下一條題目你要做得更好，阿學。」女博士微笑著輕撫小男生的頭顱。

「謝謝媽媽。」小男生渴望得到母親的關注，就算被當成答題工具也沒所謂。

但是小男孩最終無法得償所願，實驗室意外導致博士夫婦葬身火海，只有三個同齡的小孩順利獲救，而其中一個便是西門學。

「嗶嗶嗶嗶……嗶嗶嗶……」鬧鐘的聲響如雷

貫耳，把西門學從夢中喚醒。

「關掉響鬧裝置，讓我再睡一會吧，阿爾法……」阿學有懶床的壞習慣，人工智能阿爾法也敵不過懶惰的人類。

只要給予命令，阿爾法絕不會違抗，所以西門學一直過著隨心所欲的生活。他在世上，已沒有任何親人了。

「不可以，立即起床梳洗！」娜恩生氣的說。

「小……小姐？」阿學嚇了一跳，他沒想過娜恩會來叫他起床。

「你昨晚是不是玩電腦遊戲玩得很晚？發育時期除了均衡飲食外，早睡早起和適量運動也是十分重要的。」阿學方才發現娜恩穿著一身運動服裝。

「飲食方面有北辰照顧我們，但作息和運動你

的表現完全不及格。」阿學眼裡的娜恩，活像個囉嗦的大姐姐。

「所以從今天開始，你和我要提早起床，接受佑南的體能訓練。」娜恩決定了增強自己的體魄，雖然有四騎士貼身保護，但在往後的旅程難保會出現失去依靠的情況。

「吓……我也要嗎？」阿學最怕體力勞動。

但西門學並不討厭這種囉嗦，因為這讓他感受到關心、感受到重視，親如家人的溫暖是他一直以來夢寐以求、但人工智能卻無法給予他的東西。

況佑南為娜恩和西門學準備的體能訓練，由

最基本的緩步跑開始，在古宅外圍的山路起跑，空氣清新而且風景怡人。

「我不行了⋯⋯」但這對於西門學來說，已是地獄式訓練。

「雖然有想過阿學你體能比一般人差，但沒想到會比小姐更差。」佑南抓著頭皮說。

「因為我平日有鍛煉身體，我可不是個嬌生慣養的大小姐。」娜恩不滿的說。

自從和四騎士相處了一段時間後，娜恩的臉上多了不一樣的表情，喜悅的、生氣的，為不幸少女重新注入生命力。

「是的，小姐很值得稱讚。」佑南伸手想輕拍娜恩的頭顱，但娜恩還是會急急退後，生怕不幸沾上了別人。

「但是東哥哥呢？他不和我們一起鍛鍊嗎？」阿學問。

「阿東他有自己的訓練方式，自從和蒙面男爵交手後，他好像十分急躁，訓練的時間加長了許多。」佑南說。

「蒙面男爵有這麼厲害嗎？」阿學調查過神秘的蒙面男爵，但一無所獲。

「阿東說，上一次蒙面男爵並沒有認真和他交手，如果對方有將阿東置之死地的決心，可能連小姐也會有危險。」令凌東如此高評價的對手，佑南也想和他一較高下。

「不過……東哥和佑南哥之間有認真比試過嗎？你們之間誰更厲害呢？」四騎士各有所長，凌東和佑南都是負責貼身保護娜恩的近衛，西門

學十分好奇這兩人之間誰本領更高。

　　「如果禁止使用槍械的話，應該是我比較佔優吧，畢竟槍械使用才是阿東的專長。」佑南客氣的說。

　　「笑話，就算赤手空拳，你也不是我的對手。」就像感應到有人在背後說他壞話一樣，凌東突然出現在眾人身後。

「真的這麼有把握？要不要現在來切磋一下？」佑南摩拳擦掌。

「樂意之至，揍你一頓後的早餐一定特別美味。」凌東蓄勢待發。

「暫停！你們二人嚴禁內訌。」娜恩制止了意氣用事的男生們。

「阿東你的傷勢還未完全康復吧？你們要是再弄得對方受傷，那蒙面男爵再度出現時，由誰來對付？」和蒙面男爵的交鋒導致凌東傷痕累累。

「小姐所言甚是。」凌東對娜恩的説話絕對服從。

「對不起，是我們衝動了。」佑南最怕的就是娜恩生氣。

「原來最厲害的，是娜恩小姐。」阿學發現再

勇猛的兩位大哥哥，也不敵千金的一席話。

「你們還不回來吃早餐嗎？」任北辰透過無線耳機召集眾人。

每朝早共晉早餐的他們，雖然不是彼此的親人，卻建立起比家庭更堅固的關係。西門學祈望這樣的日子能持續下去，就算收集聖物的任務結束，也永不分離。

CHAPTER 4

人魚島的傳說

　　古宅飯廳內，眾人一邊吃著豐富的歐陸早餐，一邊聽著任北辰報告調查結果。

　　「大家有聽過人魚島的傳說嗎？」北辰拿出一份報紙，報章頭條正是有關人魚島近日發生的意外。

「人魚島是那個頻頻傳出海上事故的島嶼嗎？」佑南大口大口的吃著炒蛋。

「對，坊間流傳著一個都市傳說，那片海域是人魚的棲息地，凡是心術不正或想破壞小島的人接近，都會被人魚憂怨的歌聲迷惑，導致神智不清。」凌東對人魚島的傳說略有所聞。

「會不會是有鬼魂作祟……才頻頻出現意外？」相信科學的阿學，卻特別害怕鬼神之説。

「因為發生過太多不可思議的事件，政府才放棄對人魚島進行開發，無論是人魚也好，還是幽靈也好，這種超自然現象也保護了這個島嶼。」娜恩無畏無懼，她能帶來厄運的力量也屬於超自然現象。

「説到超自然現象，大家不覺得這很可能和

十二聖物有關嗎?」北辰表情嚴肅的說。

「的確……上一次得到的水瓶座魔法筆已很不可思議,假設這些傳說和十二聖物有關,也並非不可能。」凌東已見識過具體呈現畫作的魔法筆,有能影響心智的聖物也不足為奇。

「要知道答案,唯有親身前往人魚島求證,我會在稍後時間安排大家一同前往,但我們還有一個迫切的問題要解決。」北辰凝重的說。

「什麼問題?」娜恩問。

「阿東,佑南,你們上星期的測驗又不及格了吧?」保健老師任北辰身兼四人的監護人一職。

「哈哈……不及格了嗎?我忘記了。」佑南扮作若無其事。

「不可能會被發現的,我明明已把證據銷

毀。」凌東已把測驗卷埋到後花園。

「你們的班主任通知我，若你們的成績持續不達標的話，恐怕會被退學……被退學的話，你們還怎樣貼身保護小姐？」奧林匹克私立中學是高等學府，對學生的成績要求十分嚴格。

「我可以駭入學校的電腦系統，修改你們的成績，這樣就不用擔心了吧？」阿學擁有高超的駭客技術，篡改成績只是易如反掌的事。

「不可以，自己的成績必須由自己努力爭取，我不允許你們不勞而獲。」娜恩瞪著疏於學習的凌東和佑南。

「所以班主任安排了專人在下課後替你們補習。」北辰說。

「我會陪你們補習的，你們休想以作弊的方

法蒙混過關。」有成績全級排行第一的娜恩親自監督，凌東和佑南插翼難飛。

「知道⋯⋯」凌東和佑南異口同聲說。

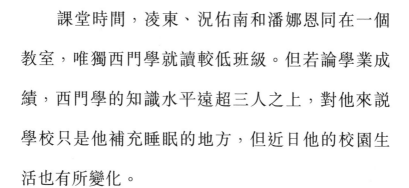

課堂時間，凌東、況佑南和潘娜恩同在一個教室，唯獨西門學就讀較低班級。但若論學業成績，西門學的知識水平遠超三人之上，對他來說學校只是他補充睡眠的地方，但近日他的校園生活也有所變化。

「很沈悶對吧？要一起蹺課嗎？」插班生露比坐在阿學的右邊。

「男爵⋯⋯不，父親大人知道的話會生氣的。」另一個插班生露娜則坐在阿學的左邊。

5

「你們⋯⋯不能安靜一點嗎？」這對孿生姊妹常常隔著阿學竊竊私語。

「早知道學校是這麼沈悶的地方，我就不答應來上學啦！」好動的露比是個十分反叛的女生。

「你忘記了是當初你吵嚷著想體驗校園生活，父親才安排我們入學嗎？」姐姐露娜比妹妹穩重可靠。

「你們是第一次來學校的嗎？」兩人與別不同的經歷，引起了西門學的好奇。

「你以為世界上只有你天賦異稟嗎？」露比把臉靠近阿學。

「你不認得我們ㄌ吧？」露娜也從另一邊靠近阿學。

「我們⋯⋯曾見過面嗎？」阿學對二人的樣子

沒有印象，卻有種似曾相識的感覺。

「那邊的三位資優生，不要恃著有點小聰明便在堂上聊天，影響學習氣氛。」上課不專心的三人，換來老師嚴厲斥責。

自從打開地下室的大門後，西門學常常夢見幼年時的生活片段，那些零碎的記憶令阿學神不守舍，他不知道是因為自己忘記了，還是不想記起，只要能維持現在的生活，阿學便心滿意足。

下課的鐘聲響起，凌東和佑南被召集到學校圖書館，負責指導兩人學習的是學生會會長——李彩英和學生會書記——林維婭。

　　林維婭留著一頭烏黑的頭髮，泳術了得的她有著小麥色的健康膚色，是學界首屈一指的游泳健將。而最令人印象深刻的，是她擁有一雙漂亮的綠色瞳孔。

　　「潘娜恩，我是受老師委托替他們補習的，你為什麼會在這裡出現呢？」實情是彩英主動向老師提出，因為她想借此機會認識這兩位帥氣的男生。

　　「你們不用理會我，我會靜靜坐在旁邊自修。」娜恩的目光停留在維婭身上，同是學生會的成員，她們雖然互相認識，卻鮮有交談。

　　「小姐，與其在這裡浪費時間，不如我們調查一下人魚島的背景吧。」凌東說。

　　「真難得我們的想法一致。」老是吵架的凌東

和佑南，在逃避補習上達成共識。

「人魚島？你們這麼快便知道下星期學校夏令營的地點就在人魚度假村嗎？」身為學生會會長，彩英隨時能掌握學校活動的最新消息。

「人魚度假村？」娜恩問。

「嗯，就在面向人魚島的那個沙灘，乘搭快艇的話不用半小時就能到達，但是校方禁止學生前往那島嶼，那裡發生過太多意外了。」彩英想到新聞的內容不寒而慄。

夏令營的地點剛好是娜恩和四騎士正在調查的人魚島，這種離奇的巧合，不禁令娜恩十分懷疑。

「這地點是學校一早安排好的嗎？」娜恩不相信這是巧合。

「不，是因為學校收到度假村的聯絡，說是免費提供服務，校方才臨時更換地點的。」彩英說。

娜恩的猜想沒有錯，這並不是巧合，而是被人暗中安排。既然娜恩等人早已決定前往人魚島了解一下這地方，下週的夏令營剛好是最佳時機，只不過她們並不知道在場的五人之中，有一個人其實對人魚島的事情瞭如指掌。

CHAPTER 5

分歧

日落西山，佑南和凌東的補習終於結束，兩人疲累的樣子像剛跑完馬拉松一樣，準備離開學校。

「很久沒有試過這麼頭痛了……」佑南感到頭昏腦脹。

「我的眼睛好像無法對焦……學習比射擊訓練辛苦得多。」凌東左搖右擺的走著。

「你們要好好感激，彩英為你們整理的筆記十分容易理解，想必她下了很多苦功。」娜恩明白，要教導別人並不是容易的事。

「娜恩……」女生的聲線從後面傳來。

「維婭？」娜恩轉身一望，叫停她們的是在學校甚少主動與人對話的林維婭。

「你們……為什麼調查關於人魚島的事？」維婭的表情十分不安。

「也不是有特別原因，只是想了解下當地的特別文化罷了。」娜恩隨便編了一個藉口，因為她不能透露十二聖物的事。

「我勸你們……千萬不要踏足那島嶼，那裡發生過很多不可思議的事，是個被詛咒的地方。」維婭說著身體不禁發抖。

「你知道什麼關於人魚島的事嗎？莫非⋯⋯你曾到過人魚島？」娜恩察覺到維婭有事隱瞞。

「我什麼也不知道，也不想再聽到關於人魚島的事！」維婭激動的奔跑遠去，她的反應出乎娜恩的意料。

「小姐，她一定有所隱瞞，需要我嚴刑逼供嗎？」凌東問。

「每個人也有不想告訴別人的秘密，如果維婭不想說，我們也不該過問。」娜恩能體諒維婭，因為她也不想跟人談起自己的不幸詛咒。

但世事往往不如人意，維婭隱瞞的秘密和娜恩找尋的十二聖物有著重大關連，看似巧合的夏令營地點也是有人在背後刻意安排。

為了揭開人魚島的神秘面紗，就算是龍潭虎

穴也要硬闖。

───────────

　西門學的房間內。

　阿學在放學後便第一時間趕回來，因為他有十分在意的事，要馬上進行調查。

　「這兩個女生果然有古怪……」阿學在集中精神的時候習慣戴著耳機，聽著激昂的音樂，隔絕外來聲音。

　所以娜恩、佑南和凌東已站在阿學身後一段時間，阿學也不知道。

　「阿學在幹嘛？把高超的電腦技術用在調查自己的同班女同學？」凌東不明所以。

　「阿學長大了呢，是想了解自己喜歡的女生

吧。」佑南感慨地說，娜恩聽著害羞得面紅耳赤。

「一定有古怪！」阿學除下耳機，轉身站起。

「阿學你才有古怪呢！」佑南意味深長的笑著說。

「啊！你們是什麼時候回來的？」阿學還是不以為然。

「在你一邊調查同學的個人資料，一邊自言自語的時候。」凌東木無表情的說。

「你們誤會了！事情不是你們想的那樣呀！」阿學慌張的解釋。

「阿學，想了解別人應該親口去問，如果她們對你不反感，一定能令關係變得更好的。」娜恩露出尷尬的笑容說。

「你們真的誤會了啦！」老羞成怒的阿學說。

於是在晚飯時，阿學決定向眾人解釋事情的

來龍去脈，兩個表現古怪的插班生，令阿學坐立不安。

「原本我只以為她們是性格古怪的插班生，但一經調查發現這兩人絕對不簡單。」阿學一本正經的說。

「除了頭髮的顏色比較特別外，還有什麼特別呢？」北辰問。

「除了基本個人資料外，有關這對姐妹的信息一點也沒有。她們在哪一所醫院出生、過去就讀的學校，全部都沒有，我駭入世界上最大的資料庫來對比她們的相片，竟然連一張也找不到。」阿學出盡法寶，也找不到二人的生活痕跡。

「會不會只是因為不喜歡拍照，沒有上載相片到社交網站呢？」凌東就是這樣的人，既討厭拍

照，也沒有使用社交網站。

「不，世界上遍佈閉路電視攝錄鏡頭，大家早已在不自覺的情況下曾被拍攝下來，沒有人能活著而不留痕跡。」阿學搖搖頭說。

「除非是刻意刪除掉，但這應該是難以做到的事。」娜恩明白了阿學的真正意思。

「對，她們擁有比我更高超的技術；至今為止我無法調查出結果的人，就只有一個。」阿學心思細密，沒有因為對方是女生而疏於防範。

「那個人就是蒙面男爵……而她們轉入我們學校的時間，巧合地在上一次學院襲擊事件發生前數天。」襲擊學院的犯人，他的身份至今仍然無法掌握，令阿學一直耿耿於懷，擔心娜恩的性命隨時會有危險。

「我估計這對孖生姊妹，極有可能和蒙面男爵有所關連。」這就是阿學得出的結論。

「阿學的推理很有説服力，做得很好。」北辰同意阿學的説法。

「小姐，要把他們捉回來嚴刑逼供嗎？」凌東説。

「她們只是小孩子吧，你真的要銬問她們嗎？」面對和阿學同齡的女孩子，佑南無法下手。

「只要想傷害小姐，無論是怎樣的人我也絕不放過。」凌東目光如炬，絕非在開玩笑。

自從學院襲擊事件後，凌東便長期處於精神緊張的狀態，像是一把鋒利的劍，隨時會傷及觸碰的人。

「還有一件事令我十分在意……」阿學皺著眉説。

「是什麼？」娜恩察覺到凌東的變化，也知道

凌東是為了保護她。

「她們的父親的身份也一樣神秘，而且他以巨額購入了人魚度假村，夏令營之所以會更改地點，相信是這個名叫華特的男人刻意安排。」

「華特⋯⋯蒙面男爵，就算不是同一個人，也一定有關聯，小姐你認為我們應該主動出擊嗎？」北辰問。

「知道對方是有備而來，我們小心提防就足夠了。她們要是和蒙面男爵有關，我們便有機會找到那神秘的傢伙，我還有很多問題要親口問他。」打開地下室的藍寶石項鏈為何在他手上？水瓶座的魔法筆他又是怎樣得到？這些問題的答案，娜恩想親口問清楚。

「既然如此，我們便將計就計吧。」北辰靈機

一觸。

「要怎樣做呢？」阿學問。

「對方想透過接近阿學來監視小姐，那阿學你就要和她們打好關係，成為她們的親朋密友了。」北辰微笑著說。

「我反對！明知對方有意接近小姐，為什麼不早早行動，斬草除根？」凌東激動的態度，嚇得

娜恩也不知道如何是好。

「既然小姐的意思是按兵不動，我們便應該聽從小姐的意思。難道你對小姐的決定有所不滿嗎？還是你對自己的能力沒有信心？」佑南挺身站在娜恩身前，凌東的態度，他實在看不過眼。

「你們不要在小姐面前爭吵啦，這樣於事無補。」北辰想要緩和緊張的氣氛，凌東卻氣沖沖的轉身離去。

「凌東……」這是首次娜恩呼喊凌東的名字，而凌東沒有來到她的身邊。

四騎士有著相同的理念，相同的目標，但始終四人合作的時間尚短，意見分歧在所難免。能令他們放下己見，團結一致的，就只有令他們齊集在此的娜恩。

CHAPTER 6

信任

　　夜深的古老大宅內，廚房還是燈火通明，娜恩和任北辰正在小心翼翼的為茶杯蛋糕裝飾。

　　「這樣做真的有用嗎？」娜恩看著完成品擔心地問。

　　「最重要的是小姐的心意，凌東收到後一定會很高興的。」製作甜品是北辰提供的建議。

因為娜恩知道凌東近日心情低落,所以向北辰請教,有什麼辦法能哄他快樂。而北辰知道外表冷漠的凌東其實十分喜歡甜食,造型精緻的草莓蛋糕更是他的至愛。

「凌東是個簡單直接的人,做事不會轉彎抹角,而且重視承諾,和蒙面男爵對戰的一役,恐怕令他感到十分不安,生怕自己沒有保護小姐你的足夠實力。」娜恩主動關心凌東,令北辰感到欣慰。

千金沒有把自己當作四騎士的主人,而是將心比心,視對方為重要的人。

「我知道,你們都是值得信賴的,是我很重要的人。」過去拒人千里的冰山美人如今能自然地展現微笑,這是四騎士的功勞。

　　古宅大門外，凌東終於結束訓練回來，焦急的他為了增強實力，不惜大幅減少睡眠時間。

　　「小姐？」看到不遠處的娜恩坐在門外，凌東緊張的走上前。

　　「小姐……睡著了嗎？」但是娜恩在等待的過程敵不過睡魔的誘惑，坐著進入夢鄉。

　　「是在等我回來嗎？」凌東蹲下身子，凝望娜恩的睡臉，回想起一段重要的回憶。

　　凌東小時候已認識娜恩的父親，他曾把女兒的照片給凌東看。

　　「她就是我的寶貝女兒，漂亮嗎？」娜恩的父親笑著問。

　　「漂亮……」在戰爭地區長大的凌東，知道相中的女孩和他是生活在兩個世界的人。

被訓練成殺人工具的孤兒，身世顯赫的千金小姐，他們理應不會遇上對方。

「在不久的將來，我的女兒就拜託你好好保護了。」是娜恩的父親，把凌東帶到娜恩身邊。

「我一定會好好保護你，就算失去性命也在所不惜。」凌東對眼前長大成人的娜恩説。

「凌東……你終於回來了嗎？為什麼不把我叫醒啊？」睡眼惺忪的娜恩説。

「在這裡睡覺會生病的，小姐快點回房間休息吧。」凌東體貼的把外套蓋在娜恩身上。

「慢著……我有禮物送給你。」娜恩垂下頭把禮物盒奉上。

「這是……小姐你親手做的草莓蛋糕嗎？」凌東打開禮物盒後眼前一亮。

「我在製作過程中有戴著手套的，你可以放心食用。」娜恩害羞著說。

娜恩甚少接觸烹飪，因為她擔心自己觸碰過的食材，會為吃了的人帶來不幸。

「很美味。」凌東展露出笑容。

「我信任你，相信你不會被我不幸的力量擊倒，所以才會做這蛋糕給你……」娜恩想透過親自製作的蛋糕來傳遞信任。

「所以我希望你也能信任自己、信任大家。你不是孤軍作戰的，佑南、辰哥和阿學，只要有你們在我身邊，再強大的敵人也無法傷害我。」娜恩理解凌東的不安和畏懼，但她一點也不害怕。

「小姐親手做的蛋糕，就算吃完會肚子痛我也會全部吃光。」凌東繃緊的情緒如霧氣般消散。

「很難吃嗎？有辰哥從旁指導應該不會出錯啊……」娜恩伸手想要沾一點來試味。

「不難吃，而且很甜。」凌東掩護住蛋糕不讓娜恩得逞。

凌東就這樣放下了重擔，曾經在戰場上冷酷無情的他，現在只要碰到和娜恩有關的事情，就會大受影響。

平靜的日子一天一天過去，終於來到夏令營的前夕，人魚島到底隱藏著什麼秘密很快便會揭曉，古宅之內眾人整裝待發，執拾行李準備向人魚度假村出發。

「我們會在度假村逗留兩日一夜，由於日間無

法自由活動，我們能前往人魚島的時間，就只有第一天的晚上。」北辰解釋當日的行程。

「待深夜同學們都熟睡的時候，就是我們出發的最好時機，我會準備好快艇乘夜出海，在天亮前回到房間報到，就能神不知鬼不覺地完成任務。」作為軍師的北辰會打點好一切。

「但是我們到達人魚島後，又要怎樣行動呢？」佑南問。

「關於人魚島的資料太少了，但是島上一定還有少數民族在生活，我相信找到他們自然能打聽到聖物的下落。」北辰接著說。

「原住民？」阿學問。

「據文獻記載，在很久以前人魚島上已有人民居住，他們與世隔絕，過著與大自然和諧共存、

自給自足的生活。但是時移世易，很多原住民離開了人魚島去過都市繁華的生活，只餘下很小量的少數民族，在當地保留原有的生活文化，拒絕外來文明入侵。」北辰拿出資料相片，他在出發之前已做了資料蒐集。

「只有黑白照片嗎？除了膚色比較深外，我看不出他們和其他人有何分別呢。」佑南說。

「他們不歡迎外來人踏足人魚島，所以目前外人擁有的資料也歷史久遠。大家登上島後一定要小心行事，不要讓他們誤以為我們是敵人。」北辰相信此行不會順風順水。

「最後⋯⋯夏令營始終是一個值得開心的旅行活動，在出發去人魚島前，大家就好好享受一下快樂的時光吧！」但與其擔心未知的事情，不如

把握現在，留下美好的回憶。

　而另一邊廂，一座格調優雅的美術館內，以美術館館長的身份掩人耳目的蒙面男爵，也同樣在進行作戰會議，他的身邊站著三位女生，其中二人正是負責監視娜恩的孖生姐妹──露娜和露比。

　「夏令營的準備工作已經完成了吧？」蒙面男爵正在欣賞一幅美人魚畫作。

　「是的，一切已按照你的吩咐準備妥當。」緋紅色長髮的女生束著長長的馬尾，身材高躴健美的她鍛煉有素，是蒙面男爵的貼身保鏢。

　「很好，露比和露娜繼續觀察著娜恩等人吧。」蒙面男爵滿意的說。

　「男爵，你真的不和我們一起玩嗎？」露比扁

起嘴巴問。

「他們已經對我起了疑心，再出現在他們面前只會節外生枝。」蒙面男爵搖搖頭說。

「那我們可以狠狠教訓潘娜恩嗎？我真的很討厭那個靠男生保護的臭丫頭！」露比對娜恩充滿敵意，因為她深受蒙面男爵的關注。

「你們要記著，這次任務的對手不是娜恩和四騎士，處理不當的話連你們也會受傷的。」蒙面男爵輕拍露比的頭顱。

「男爵請放心，這次任務我會親自監督，不會讓意外發生。」蒙面男爵的貼身保鏢能幹而且忠心。

「那就交給你了，蕾安娜。」這次娜恩要面對的不只是未知的神秘力量，還有蒙面男爵的親衛隊。

CHAPTER 7

夏令營

　　萬里無雲的晴朗天空，映照日光奪目耀眼的沙灘，奧林匹克私立中學的旅遊巴士到達了夏令營的目的地，建築在岸上的人魚島度假村。

　　「嗚嘩！我最喜愛的就是陽光與海灘！」佑南十分興奮，他已急不及待跳進海裡。

「我最討厭又熱又曬的地方……」阿學和佑南相反，他喜歡在陰暗涼爽的房間獨處。

「歡迎來到人魚度假村，我是這裡的負責人——蕾安娜。」負責人親自接待，可見她十分重視這次活動。

「人魚度假村內的所有活動設施也供同學們免費享用，大家可以盡情玩樂，我們的員工會為大家提供最優質的服務，煩請大家在最後留下寶貴的意見，以供我們參考。」以免費服務來換取客戶意見，這是大集團常見的經營手法，但是蕾安娜志不在此，她的目光不時停留在娜恩身上。

「那個負責人……和我認識的一個人很相似。」佑南疑惑的說。

「認識的人？」娜恩問。

「嗯，是我家武館的師姐，但她已消失一段長時間……」佑南不敢上前相認，畢竟他和師姐已失去聯絡多年。

「不只負責人，這裡的服務員全都不是等閒之輩。」凌東從對方的身型和步法，已能判斷出他們訓練有素。

「參加這次夏令營，我們豈不是送羊入虎口？」阿學開始感到不安。

「兵來將擋，水來土掩。誰是老虎，誰是綿羊還是未知之數。」娜恩氣定神閒，就算蒙面男爵再次出現，她也有信心擊倒對方。

娜恩深入龍潭虎穴也未有膽怯，反而身份普通的維婭表現得戰戰兢兢，自從到達人魚度假村後，她的身體便瑟瑟發抖。維婭看著人魚島的目

光，就像看到窮兇極惡的怪物，陷入恐懼之中。

「事不宜遲，大家快點到所屬的度假屋放下行李，換上泳裝盡情玩樂吧！」學生會會長彩英十分滿意這次安排。

「難得今天風和日麗，在夜幕降臨之前大家便好好放鬆一下吧。」北辰微笑著說。

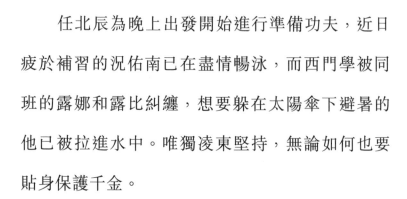

任北辰為晚上出發開始進行準備功夫，近日疲於補習的況佑南已在盡情暢泳，而西門學被同班的露娜和露比糾纏，想要躲在太陽傘下避暑的他已被拉進水中。唯獨凌東堅持，無論如何也要貼身保護千金。

「久等了。」換上泳裝的娜恩教凌東感到意外。

「小姐你的這身裝扮,是潛水衣嗎?」娜恩的泳裝可說是密不透風,兩手如常戴著手套。

「有問題嗎?」娜恩難為情的說。

「不,只是有點意外罷了。」無論是男生還是女生,來到海灘也穿著鮮艷奪目的泳裝,希望成

為夏日的主角，唯獨娜恩不想引人注目。

「和我一起進行水上活動是很危險的，一不小心觸碰到我便會沾上厄運，過去在學游泳時就有不少老師因此而遭殃。」所以娜恩把身體嚴密包裹，避免意外發生。

「所以小姐你最後沒有學會游泳？」從娜恩沒有走近海邊的意思，凌東已略知一二。

「你是想取笑我嗎？」娜恩一臉無辜，不幸的體質害她錯過不少樂趣。

「不，只是小姐原來有不會的事情，這點我意想不到呢。不如趁這機會，由我來擔任你的游泳導師吧。」凌東從未看過娜恩示弱，他所認識的千金琴棋書畫，樣樣皆精。

「你不怕會被我害得遇上不幸的話，我樂意奉

陪。」然而去除不幸的力量和顯赫的家世，娜恩也只是個普通少女，會想有人指導、會想有人能依靠。

沙灘上正上演著激烈的沙灘排球比賽，有佑南坐鎮的班別勢如破竹，把多隊競爭對手狠狠淘汰。

「他真的是學生嗎？實在太厲害了吧……」面對佑南的全力扣殺，更高年級的學生也束手無策。

「太棒了！加油啊，佑南！」學生會會長彩英擔當起啦啦隊隊長，圍觀這場比賽的女生也愈來愈多。

「果然……運動最能排解學習的壓力。」佑南卓越的運動表現，加上爽朗的性格和外表，轉校不久已在女生之間人氣高企。

「凌東那傢伙去哪裡了？不和我在沙灘排球上比試一場嗎？」沒有對手的比賽逐漸乏味，佑南開始想念他的歡喜冤家。

「待我速速了結這場比賽，然後去挑戰他吧！」佑南飛身躍起，正準備打出渾身一擊之際，突如其來的濃烈殺氣令他分心失手，排球遠遠偏離了目標。

「當年的小毛孩，現在已長大成人了呢，看來這麼多年來他也沒有疏於鍛煉。」殺氣的來源正是躲在遠方觀望的度假村負責人──蕾安娜。

「是我的錯覺嗎？」佑南不見蕾安娜的身影，但他沒有認錯，蕾安娜的確曾是他父親親手培育的大師姐。

蒙面男爵的親衛隊，全都是和四騎士有淵源

的人，他們都是被挑選到這舞台的重要角色，只是他們都不知道劇本將會把他們帶到怎樣的結局。

「大件事了！維婭！」彩英的驚叫引起了佑南注意，佑南才發現自己的失誤擊球把維婭擊倒地上。

「維婭！你還好嗎？」佑南立即跑到維婭身邊把她扶起。

「不可以⋯⋯不可以去人魚島⋯⋯」維婭就算已經失去意識，口中還是唸唸有詞。

「什⋯⋯什麼？」佑南聽得一頭霧水，從一開始維婭就警戒他們不要踏足人魚島。

「我馬上送她去找保健老師！」佑南抱起維婭拔足狂奔，維婭的說話不禁令佑南產生不祥的預感。

CHAPTER 8

前往人魚島

「小姐不用這麼害怕，有我在你是不會沈下去的。」凌東拉著娜恩的手慢慢引領她前進。

「你一定在心裡取笑著我吧？」凌東沒有取笑娜恩的意思，但她尷尬又無助的表情，讓人覺得很有趣。

「每個人都有擅長和不擅長的東西，沒有什麼可笑的。」其實凌東只是忍耐著不笑出來。

「為什麼你不害怕？雖然隔著手套，但是和我接觸還是有一定程度的風險呀！」拒人千里的娜恩已遺忘了牽手的感覺。

「我的性命是老爺拾回來的，是他給予我活下去的意義。」凌東對潘氏家族十分感激。

「我爸爸？」娜恩問。

「守護小姐你，就是我活下去的理由。」凌東思憶起往事。

當年娜恩的父親解救了戰亂中的國家，那些被訓練成殺人工具的小孩一時之間失去了生存意義。他們不知道什麼是自由、什麼是目標，他們一直按照指令行事，沒有人下達指令，他們連何

時該進食也不知道。

　　就算被收養後，凌東也如同行屍走肉，雖然三餐溫飽，卻是一無所有。直至娜恩的父親找上他，給予他努力活下去的使命。

　　「沒有任務，我便沒有任何存在價值。」小凌東曾想過自尋短見。

　　「不，凌東，你必須活下去。」娜恩的父親緊握小凌東的雙手，流下兩行熱淚。

　　「在不久的將來，我的女兒會身陷險境，我希望你能在她身邊，好好守護著她。」娜恩的父親在多年前已預知到今日的景況。

　　「這是任務嗎？」而這正是凌東最需要的東西。

　　「這不只是任務，更是一個終身的承諾，你能答應我嗎？」娜恩的父親拯救了凌東。

「我一定會完成任務的。」現在輪到凌東拯救娜恩。

<hr />

「所以你守護我，只是因為任務嗎？」娜恩不知為何心裡有種被揪著的感覺，她不知道自己在期待怎樣的答案。

「那是比任務更重要，就算粉身碎骨，犧牲性命也在所不惜的東西。」凌東微笑回應，能守護娜恩，他才感覺自己的存在是有意義的。

「但我不希望你受傷，也不希望你們四個因為守護我而犧牲自己。」娜恩害怕某天不幸的事情終會發生，她現在所得到的難免失去。

「放心，我們都是很厲害的，絕對不會令千金

失望的四騎士。」冷漠的凌東多了一份溫柔。

　　雖然娜恩到日落西山時也未學會游泳，但她感覺到和凌東更加接近、更加信任。

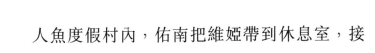

　　人魚度假村內，佑南把維婭帶到休息室，接受北辰的檢查。

　　「她只是頭部受到震盪而一時昏倒，相信很快就會醒來。那排球是你的仇人嗎？有必要出盡全力轟下去嗎？」北辰斥責著說。

　　「不……我是因為一時分心才控制不了力度，是我太大意了。」佑南鬆了一口氣。

　　「到了晚上可不要大意啊，到底在人魚島上會發生什麼事仍是未知之數。」北辰擔心佑南的狀態

會影響晚上的行動。

「辰哥……維婭她就算失去意識，口中還是說著不要去人魚島這話，我們會不會取消今晚的行動比較好？」佑南有著敏銳的直覺。

「我最擔心的是被人捷足先登，收集聖物的人不只有我們，星婆婆給我的情報同樣會提供給其他人，這是一場與時間的競賽呀。」北辰認真的說。

「我明白了……但一切以小姐的安全為優先，稍有不慎便立即撤退，可以嗎？」佑南問。

「當然可以。」北辰沒有猜錯，對人魚島虎視眈眈的不只有他們。

夜幕降臨，啟程前往人魚島的時間愈來愈接近，娜恩和四騎士靜待同房的室友進入夢鄉後，便要出發去人魚島，把它不可思議的秘密揭曉。

深夜時分，娜恩按照原定計劃去到海邊和四騎士集合。

「有勞小姐了。」北辰把水瓶座魔法筆交到娜恩手上。

船隻和快艇都會發出燈光和聲響，要不動聲色潛入人魚島唯有借助聖物的神奇力量，四騎士和娜恩在得到魔法筆後反復嘗試，最終決定由娜恩操作這不可思議的聖物。

因為娜恩畫畫非常漂亮，在魔法筆把畫作實物呈現之後，更多了一份神聖的美感。娜恩輕柔地舞動魔法筆，色彩斑斕的光線勾畫建構出她需要的渡海工具。

「厲害，小姐果然是最適合擁有聖物的人。」北辰驚嘆不已，體型龐大的鯨魚憑空出現。

「拜托你把我們載到對面的島嶼。」娜恩輕輕把手放在鯨魚的頭上說。

鯨魚張開大口，娜恩把想像力化成真實，猶如會魔法的仙子。

「我們真的要用這方法前往人魚島嗎？」一想到要進入鯨魚口中，阿學便十分不安。

「以不可思議的力量前往神秘莫測的島嶼，我覺得這是最適合不過的。」北辰率先踏上鯨魚口中。

「既然是小姐的作品，一定值得信任，阿學你不用擔心啦。」佑南把畏縮的阿學抬起。

「小姐，請。」凌東伸手牽引娜恩一同登上這神奇的渡海工具。

鯨魚待五人進入體內後便潛入海底，一口氣游向人魚島。

　　由水瓶座的魔法筆所創造的鯨魚內，娜恩等人身處像玻璃製造的房間，她們能清晰看到週圍的情況，能看到在身邊掠過的海洋生物，通透的水母、鮮艷的珊瑚，比起在水族館更近距離接觸。

　　「難怪有傳言指十二聖物是創造主用來創造世界萬物的工具，這力量實在太匪夷所思了……」深信科學才是真理的阿學感嘆著說。

　　「蘊藏這種力量的聖物還有十一件，莫說集齊所有聖物，就算只收集到一半，恐怕已足以造成很可怕的影響。」凌東在戰場上見識過槍炮導彈，甚至戰機和坦克，沒有一樣是能和聖物比擬。

　　「爸爸到底是懷著怎樣的目的、怎樣的心情去收集聖物？」接觸得聖物愈多，娜恩對父母的感覺就愈是陌生。

　　到底他們擁有聖物之後，又用它們的力量做過什麼？這問題纏繞在娜恩的心裡，令她不安的心情難以平伏。

　　「快到達目的地了。」北辰已看到人魚島近在眼前。

　　鯨魚張開大口，讓娜恩和四騎士登上地面後，便化作金粉消散於虛空，不留半點痕跡，但是娜恩並不知道，還有人比他們更早一步潛入了人魚島之內。

CHAPTER 9

迷惑人心的笛聲

「那麼我們按照計劃分頭行事吧。」北辰早有安排。

因為他們能調查人魚島上的時間就只有今晚，明天一早，他們便要扮作若無其事，出現在度假村和其他學生會合。

「你要好好保護小姐，不然我不會輕易放過你的。」佑南搭著凌東的肩膀說。

「不用你說我也一定會辦到。」凌東負責貼身保護娜恩，兩人一組向前進發。

「我也該認真工作了。」阿學戴上耳機並打開背包，三架小型無人飛機隨即升上空中。

北辰和佑南分別向左右兩邊進行搜索，而阿學留在岸邊操控裝有攝錄鏡頭的無人飛機，觀察四週環境，同時為眾人提供情報。

娜恩等人兵分三路，小心翼翼的踏進樹林，朝人魚島的中心探索，她們的目標是找尋人魚島上的原住民，查探發生在這裡的神秘事件是否和聖物有關。

「阿學，有發現嗎？」北辰透過無線耳機問。

「還是沒有任何發現，這裡的樹木生長得又高又密，阻礙無人機飛行。」阿學和四人保持聯繫，以確保他們安全。

「自從踏入樹林開始，我就感覺到渾身不自在……就像被人在暗中監視。」佑南眼觀六路，耳聽八方。

「我也有同感。」凌東凝神貫注，牽著娜恩的手一刻也不敢鬆懈。

四騎士和千金想找出原住民，但他們不知道原住民早已察覺他們入侵，靜悄悄觀察他們的一舉一動。

「大家……有聽到特別的聲音嗎？」娜恩靜心細聽，寂靜的樹林裡響著如鳥兒鳴叫的聲音。

「是鳥兒在叫吧？」佑南不以為然。

「不，這時間鳥兒都應該熟睡了。」北辰未察覺自己已掉入圈套。

一支長矛在劃破夜空，把不屬於大自然的無人機擊落，另外兩架無人機也落得相同的下場。人魚島的主人開始行動了，他們要把不屬於島上的東西一一驅逐。

「大家……要小心……無人機……失靈了……」無線耳機沙沙作響，傳來阿學斷斷續續的呼叫。

「阿學？你在說什麼？」娜恩擔心阿學會有危險，但真正被盯上的，是深入樹林的他們。

「小姐，我們被包圍了。」不只阿學失去聯絡，凌東和娜恩也面臨重大危機。

那些隱藏在樹林中的原住民露出身影，他們

健碩魁梧，手持利器穿著毛皮獸衣，獨特的綠色瞳孔透露對入侵者的敵意。

「休想傷害小姐……」凌東拔出手槍指向原住民，就算寡不敵眾他也不甘示弱。

但是真正威脅著四騎士的，並非原住民手上的利器，而是回響不斷的笛聲。

「凌東，你怎麼了？」娜恩察覺凌東不斷發抖，露出痛苦的表情。

「我的頭很痛……」凌東感到頭痛欲裂，眼前更開始出現幻覺。

雙魚座的魔笛所吹奏的聲音能使人出現幻覺，喚醒聆聽者最害怕的記憶，令人喪失理智，凌東眼前的已不再是樹林，而是子彈橫飛、屍橫遍野的戰場廢墟。

「小姐，你在哪裡？」就算娜恩近在咫尺，凌東也看不見她的身影，聖物的力量遠超四騎士的想像。

「你們對凌東做了什麼？放……放開我！」娜恩想要捉緊凌東，但她已被原住民牢牢抓住。

不只凌東，佑南、北辰也遇上同樣危機，佑南眼前一片火海，小時候武館被大火燒毀的經歷是他最害怕的回憶。

「不是真的……這一定是幻覺。」佑南知道這是假象，但就算他閉上眼睛也無法逃離幻覺，熾熱的感覺如幻似真，佑南的理智崩壞只是時間問題。

「還保持著意識嗎？看來你有聽師父吩咐好好鍛煉呢。」佑南眼睛雖然看不到，但他能聽到女生

的說話，聽到她正逐漸接近的腳步聲。

「這把聲音……是師姐嗎？安娜師姐？」佑南集中精神，敏銳的觸覺令他知道危險在接近。

蕾安娜二話不說就向佑南展開攻擊，強而有力的踢腿被看不見的佑南勉強避開。

「連師姐也是幻覺嗎？那就別怪我不客氣了！」長年累月的鍛煉下，佑南僅憑直覺就捕捉到蕾安娜的位置，全力揮拳。

「你還是好好睡一覺吧，繼續聆聽魔笛的聲音，會無法回到現實的。」蕾安娜以柔制剛，把佑南重重的摔到地上。

佑南就此眩暈過去，但安娜沒有乘人之危，反而替他戴上一個厚重的耳機，然後靜靜離開。安娜就是靠著耳機阻隔笛聲，才沒有受魔笛影響，

而因為戴著耳機逃過一劫的，還有西門學。

　　人魚島岸邊，負責支援的西門學和同伴失去了聯繫，心急如焚的他無論怎樣呼喊也得不到回應。

　　「大家一定遇上危險了，我不能坐視不理……」正當阿學打算摘下耳機，一雙溫柔的手阻止了他魯莽的行為。

　　「露比，露娜？你們為什麼會在這裡出現的？」阿學嚇了一跳。

　　「不可以摘下耳機……」阿學朗讀出露娜手上畫簿所寫的文字。

　　「你的朋友遇上危險。」露比手上也拿著畫簿。

　　耳機阻隔著聲音，露娜和露比除了靠文字和阿學溝通外，就只能靠身體語言，她們向阿學伸出手，示意帶領他尋找失去聯絡的同伴。

———————✦———————

　　娜恩被原住民以利器挾持，無論她說什麼原住民也不給予回應，娜恩只能帶著滿腦子問號被強行帶走，直至到達樹林深處、原住民所居住的村落才停下。

　　「你們到底對我的朋友做了什麼？」比起自身安危，娜恩現在更擔心四騎士的狀況。

　　吹奏著雙魚座魔笛的女性逐漸步近，原住民看到她的來臨全都下跪敬禮，顯然魔笛的持有人身份尊貴，是他們的族長。

「回答我！你們都是啞巴嗎？」娜恩激動的斥喝。

娜恩的問題不只沒有得到回應，原住民對她無禮的舉動更顯得充滿怒氣。

「砰！」嚇人的槍聲突然從娜恩身後響起。

「放開小姐……」面色蒼白的凌東不理身體狀況，一拐一拐終於追上來。

為了擺脫魔笛的影響，凌東向自己耳朵旁邊各開了一槍，過大的聲響震傷了他的耳膜，暫時失去聽覺的他才能回復清醒。

「凌東！」娜恩馬上跑到凌東身邊，但敵眾我寡，就算多了凌東一個也改變不了困境。

「小姐，我們注定無法一起全身而退，請你逃跑吧。」凌東更換了手槍的子彈，那是北辰叮囑過

只有在危及性命的情況才能使用的真槍實彈。

凌東明白現在就是最危急的時刻，哪怕只有娜恩能離開，他也心滿意足。

「不⋯⋯我怎可以丟下你獨自離開。」娜恩忍住不讓淚水落下。

從父母離開人世開始，娜恩就決定了無論在怎樣的情況也不再哭泣。

女族長再次吹響雙魚座的魔笛，這次笛聲比剛才更加響亮，更加尖銳。在這麼近的距離下，就算凌東聽力受損也避不過魔笛的影響。

「在我失去理智前，最起碼要讓她再也無法吹奏那笛子⋯⋯」凌東豁出所有，就算痛楚蔓延全身也不退縮。

若果不想因失去而難過，唯有挺起胸膛去爭

取。這是娜恩悟出的道理，也是她現在唯一能做的事。

「我的騎士，由我來守護。」娜恩執起水瓶座的魔法筆，能與十二聖物抗衡的，唯有同樣是十二聖物的力量。

伴隨娜恩飛快的筆觸劃過，漆黑的魔龍逐漸呈現在眾人的面前。被魔龍看守的睡公主只能等待王子拯救，但娜恩不是軟弱的公主，而是能主宰魔龍的千金。

CHAPTER 10

人魚島的秘密

　　露比和露娜帶領阿學進入樹林尋找他的同伴，魔笛的力量強大而且影響深遠，長期聆聽笛聲會對心智造成永久傷害。

　　任北辰也不例外，他的意識被困在昏暗和冰冷的手術室中，凝望著手術枱上已離世的女人流著眼淚。

「你等我，我一定能令你復活的。」這是北辰最悲痛的回憶。

「十二聖物……只要有它們的力量，你就能回到我的身邊。」也是北辰尋找聖物的真正原因。

而在現實世界，阿學也找到了北辰，但受魔笛影響的北辰散發濃烈的殺氣，像是要被接近他的一草一樹都撕毀割碎。

「辰哥……」眼前人令阿學感到陌生又可怕。

露娜和露比阻止阿學繼續接近，要喚醒北辰必須先以武力制服他，並替他戴上特製的耳機。阿學沒有這樣的本領，但這對孖生姐妹有。

露比向北辰擲出多粒糖果，北辰靠著本能反應便以手術刀把糖果擊落。但那並不是普通糖果，而是黏力極高的強力膠，用以阻礙北辰手腳行動。

　　露娜趁機從後接近，替北辰戴上耳機，這才令北辰逐漸清醒過來。

　　「你們的小姐有危險。」北辰才剛回復理智，映入眼簾的是露娜寫在畫簿上的大字。

　　耀眼的金光在遠處升起，和娜恩使用聖物畫出鯨魚時的狀況一模一樣，北辰知道那裡一定是娜恩所在的位置，決定立即回到千金的身邊。

　　意識到光芒和娜恩有關的，還有剛蘇醒過來的佑南，他同樣以最快速度向目的地進發。

　　為了阻止魔笛繼續傷害凌束，娜恩以聖物的力量還以顏色，魔龍的出現令原住民無比震驚，唯獨女族主處變不驚，她知道眼前的少女和自己

一樣是十二聖物的持有人。

「停下來，不然我便把這村落夷為平地。」娜恩並非裝腔作勢，只要她一聲令下魔龍便會吐出烈焰。

「你聽不懂我說的話嗎？」就算不想傷害別人，娜恩也無法放任凌東繼續受傷害。

但娜恩不知道不只女族長，全部原住民也聽不到她的聲音。能防止魔笛影響的只有手持聖物的人，和完全失去聽覺的聾啞人士。

形勢劍拔弩張，雙方也不肯退讓，幸好在娜恩狠下心腸之前，一名少女改變了當前的局面。

「夠了！你們都停手！」維婭跑到了兩人之間，受魔笛影響她亦面露難色。

綠色的瞳孔、深棕色的皮膚，維婭有著和原

住民一樣的特徵。

「維婭？」娜恩錯愕之際，女族長竟真的停止吹奏，緊張萬分的走到維婭身邊，生怕她會被魔笛傷害。

維婭以手語向女族長傳達訊息，娜恩並不是來侵害這島嶼的壞人，而是她的同學、她的朋友。

「娜恩……她是我的媽媽，我也是伊莉族人。」林維婭，原名伊莉維婭，出生在人魚島上，是這裡的少數民族——伊莉族的一分子。

「小姐！」來到村落的阿學、北辰和佑南也剛好看到這一幕。

「大家也平安無事，實在太好了。」娜恩鬆一口氣，魔龍也消失在空氣之中。

「凌東！你怎麼了？」唯獨傷勢不輕的凌東昏

睡過去，嚇得佑南手忙腳亂。

「大家進屋內稍作休息吧，我們會治理好淩東的傷勢，而娜恩⋯⋯我的媽媽有話想和你說。」維婭是唯一清楚人魚島歷史，同時能和外界以語言溝通的伊莉族人。

在維婭還是小孩子的時候，她的母親便決定把她送出人魚島，讓她在正常家庭下長大成人。因為伊莉族人有一個必須遵守的傳統，就是要服用令聽覺喪失的藥物。

「為什麼要這樣做？」娜恩問。

「為了守護人魚島。」維婭繼續訴說她的故事。

人魚島是個長滿珍貴動植物的島嶼，有些動

物已瀕臨絕種，有些植物極具藥用價值，成為外來人的目標。他們不惜破壞島上的生態，也要搶奪島上的資源，甚至想殺光居住在這裡的伊莉族人。

「直至你父親的出現，把雙魚座的魔笛交到我祖母的手上，這島嶼才真真正正得到和平。」維婭說。

「你們以魔笛的力量攻擊傷害島嶼的人，製造了人魚島不可思議的傳說。」娜恩明白了傳說的由來。

「除了魔笛的使用者外，就連我們的族人，聽到它的聲音也會逐漸喪失理智、精神失常。唯有犧牲聽覺，伊莉族人才能繼續保護人魚島。」維婭自小便離開人魚島，在寄養家庭健康成長，但她

知道自己的身世後,有嘗試過登島尋找母親,只是她的母親每次也會急急把她趕走。

「但現在,是物歸原主的時候了。」維婭複述母親以手語表達的意思。

「你的父親說過,如果有一天,他的女兒手持聖物來到人魚島,就把雙魚座的魔笛轉交給她。」維婭把魔笛雙手奉上,這是伊莉族人和娜恩父親的約定。

「若我拿走雙魚座的魔法笛的話,伊莉族人就再無法保護這人魚島。」娜恩在思考著這是不是正確的選擇。

「多得你父親的幫助,我們已平添了很多平靜的日子,被侵略本來就是伊莉族人的命運,現在只是順應天命罷了。」維婭說。

「不，命運只不過是人們用來美化自己屈服的藉口。」遇上四騎士後，娜恩不再相信命運，不相信天賦不幸的力量會使她也只能過得不幸。

「但雙魚座的魔笛，我還是要收下。以伊莉族人的聽覺來換取人魚島的和平，這代價太大了……總之人魚島的安全，以後由本小姐負責。」娜恩認為父親當年的決定不是正確的，一定有更好的方法能解決這問題。

「娜恩，我媽媽說想帶你去一個地方。」維婭說。

人魚島後方是一處鮮為人知的地方，這裡藏著一片廣闊的向日葵花田，鮮花綻放得無比漂亮。

「好漂亮……」娜恩只敢遠觀，害怕一觸碰，鮮花就會凋謝。

「這裡是你媽媽生前很喜歡的地方。」維婭的母親和娜恩已故的母親曾是好友。

「她曾說過希望在這裡種滿向日葵後,把這片花田送給你。」維婭的母親總算代故友完成了心願。

「媽媽⋯⋯」娜恩和父母聚少離多,接收到母親的心意終於令她淚腺失守。

「向日葵的花語是沈默的愛,同時也代表勇敢去追求幸福。我相信這些都是你的母親想告訴你的話。」維婭輕抱哭成淚人的娜恩,尋找聖物的路途上,她知道了更多父母的另一面。

那些善意的、溫柔的遺愛,娜恩在這旅程都有好好接收到。但在未來的日子裡,她所挖掘到的,又是否只會充滿著美好的愛和溫暖?

　　醫院內，凌東躺在病床療養身體，佑南和阿學奉命看守他，不讓他四處走動。

　　「我們這次不只保護不到小姐，還全靠她才能保住性命。」凌東深受挫折，聖物的力量非人類能阻擋。

　　「嗯⋯⋯我還被師姐揍了一頓。」佑南以為自己已獨當一面，但原來事實並非如此。

　　「蕾安娜、還有露比和露娜，我們欠了她們一個人情，或者蒙面男爵⋯⋯並不是我們的敵人。」阿學對這對孖生姐妹大大改觀，個子小小的姐妹花原來身手不凡。

　　「對了，小姐和辰哥呢？」凌東問。

「小姐説要和蒙面男爵親自見一面，她吩咐我們看著你好好休息。」阿學説。

「那豈不是送羊入虎口？」凌東激動得想跳下床，被佑南兩手緊緊按住。

「你不用激動，辰哥説若然蒙面男爵想加害小姐，就不會派人暗中幫助我們，我也同意他的看法。」佑南説。

而在同一時間，娜恩和北辰已來到蒙面男爵的所在地──他以藝術收藏家華特這身份所經營的美術館。

娜恩站在美術館前，準備和他來一場交易；而在蒙面男爵的口中，她將會得知有關下一件聖物的線索。

下期
預告

ISSUE 3

獅子座的襟針

佑南的家鄉是武術之鄉，
在這片古色古香的土地上，
有一幢流傳著淒美傳說的古老建築。
娜恩和 4 騎士將會來到佑南的家鄉，
調查下一件聖物的下落。
尋找十二聖物的人不只娜恩和蒙面男爵，
美麗如花的新敵人即將華麗登場。

2023年秋季出版

2023

創造館 書展攻略

Happy Anniversary,
Celebrating 10 Years!

後疫情時代，
我們終於可以除下口罩，
面對面相見！
而且今年適逢是創造館
10 周年社慶呢！

創造館攤位
HALL-1
1B-A02

日期	2023 年 7 月 19 至 25 日（星期三至星期二）
時間	星期三／四／日／一　　　上午 10 時至晚上 10 時
	星期五／六　　　　　　　上午 10 時至晚上 11 時
	星期二　　　　　　　　　上午 9 時至下午 5 時
地點	香港灣仔博覽道一號　香港會議展覽中心
前往方法	港鐵會展站 B3 出口，步行約 4 分鐘。 （如在灣仔站前往，約 15 分鐘。）
門票	價錢及銷售辦法請瀏覽貿發局的「書展 2023」專頁

會場優惠

1 全場所有書刊及精品 **8折**

2 獨家、優先 發售新書

3 套裝 大特賣

4 很多、很多只有我們攤位才有的 **消費滿額禮**

5 最重要：還有免費的 **作家簽名版本！**

HALL-1

記住，是在一樓 HALL-1 綜合書刊館，不要去錯三樓兒童館啊！

1B-A02
創造館
★
CREATION CABIN

1B-A02

EXIT　EXIT
1A出口

EXIT　　　　　EXIT
1B出口

1C 入口

簽名會作家
耿啓文、
貓十字、
瑞雲、
Knoa Chung、
余遠鍠等人

Follow我們！

Instagram

facebook

KEEP CREATING
創造十年
CREATION CABIN LIMITED
10TH ANNIVERSARY

創造館 ★ CREATION CABIN

雙魚座的魔笛 ②

Follow 我們 ...

Instagram

facebook

作者	陳四月
繪畫	魂魂 SOUL
策劃	余兒
編輯	小尾
設計	Zaku Choi
出版	創造館 CREATION CABIN LIMITED 荃灣美環街 1 號時貿中心 604 室
電話	3158 0918
聯絡	creationcabinhk@gmail.com
發行	泛華發行代理有限公司 將軍澳工業邨駿昌街七號二樓
印刷	高科技印刷集團有限公司
出版日期	2023 年 5 月
ISBN	978-988-76570-0-2
定價	$68

出版

製作